살 얼 음

살얼음

발 행 | 2023년 12월 21일
저 자 | 장성우, 윤재민, 김민건
삽 화 | 박성현
펴낸이 | 한건희
펴낸곳 | 주식회사 부크크
출판사등록 | 2014.07.15.(제2014-16호)
주 소 | 서울특별시 금천구 가산디지털1로 119 SK트윈타워 A동 305호
전 화 | 1670-8316
이메일 | info@bookk.co.kr

ISBN | 979-11-410-6159-3

www.bookk.co.kr

살얼음

장성우, 윤재민, 김민건 지음

CONTENT

꽃향유

:성숙

텁텁하고 불쾌한 7월의 어느 날 밤이었다.

야자날이어서 늦게 마쳤지만 금요일이었기에 여름 노래를 들으며 기분 좋게 집에 가던 중, 학교 강당 쪽에서 에어팟을 뚫고 짧은 비명과 함께 둔탁한 소리가 났다.

쿵 —

무언가 혹은 누군가 떨어지는 소리, 사고가 확실해졌기에 나는 강당으로 향했다. 9시가 넘어서 다시 학교에 들어가는 걸 수상히 봤는지 경비아저씨께서 나에게 취조하듯이 물었다.

“야자는 이미 끝났는데 볼일이 남은 건가?”

순간 당황했지만 나름 능청스럽게 넘겼다.

“교실에 책을 두고 와서요.”

다행히도 별일 없이 학교에 들어올 수 있었다. 강당에 가까워질수록 어떤 일인지 너무 궁금해졌다. 강당에 도착하고 보니 정문에는 아무것도 없고 강당 주위를 돌다가 후문 쪽 계단 외벽에서 붉은 자국을 발견했다.

추측이 확신으로 바뀌는 순간이었다.

아니나 다를까, 머리에서 피가 흐르는 사람의 형상이 보였다. 드라마에서도 무서워하던 장면이 내 눈앞에 적나라하게 드러나 있었다. 나는 지레 겁을 먹었다. 그렇다고 여기까지 와서 돌아가기도 그런 상황이 아닌가, 몸을 뒤집어 보니 그가 누구인지 알 수 있었다.

나와 아주 친한 친구, 준호이었다. 분명 심화반이라 10시 반에 자습이 마칠 텐데 왜 지금 여기 있는지, 그것도 머리에서 피를 흘리고 있는 모습으로 여기 있는 건지, 머릿속에 수만 가지 생각이 스쳤다. 추적추적 내리는 비 냄새와 피 냄새가 섞여 비린내가 진동했다.

준호는 옅은 숨을 쉬고 있었다. 물어볼 게 너무 많았지만 본능적으로 준호와 나눌 수 있는 대화가 그리 길지 않을 것임을 직감했다.

옆에 있던 공중전화로 119에 전화를 해두고 준호에게 물었다.

"너, 왜… 아니…, 어쩌다 여기에 있는 거야?"

잠시 정적이 흐르다가 준호가 대답했다.

"쉬느, …ㄴ, 시가…ㄴ에 계다네서…, 바께 보다가…, ***가 밀ㅇㅅ… 나… 떨어졌어…."

무슨 말인지 정확히 못 알아듣겠지만 대충 자습 중에 일어난 일인듯하다. 아무래도 절친인만큼 너무 슬프고 걱정되었다. 긴급구조를 기다리던 도중 현석이가 주머니에서 무언가를 꺼내선 내게 건네주었다. 뜬금없게도 비염약이랑 어떤 주소가 적힌 쪽지였다. 현석이가 나에게 다른 데로 가라는 손짓을 했다.

"야. 네가 이 지경인데 두고 가라고? 구급차 불렀으니까 조금만 버텨."

현석이는 아무 대답 없이 비염약만 가리켰다. 뭔가 중요한 물건이기에 나에게 준 것 아닐까? 불현듯 머릿속으로 범인이 근처에 있을지도 모른다는 생각이 스쳐 지나갔다. 내가 현석이를 목격했다는 사실을 숨겨야 할 것 같아 그 즉시 학교를 빠져나와 집으로 왔다. 집에 와서는 나는 쪽지에 적힌 주소를 가능한 한 빨리 가봐야겠다고 생각했다. 머리가 복잡했지만, 너무 졸려 일단 잠을 청했다.

그날은 밤새 악몽으로 시달렸다. 피곤한 상태로 다음날 학교에 가니 온통 현석이에 관한 얘기뿐이었다. 현석이가 알고 보니 간첩이었느니, 장기 매매 조직의 대상이 되었다느니, 외계인한테 납치당했다느니 하는 터무니 없는 소리였다. 나로서는 그냥 헛웃음만 나올 뿐이었다. 집중이 안 되고 머리도 복잡해서 듣는 둥 마는 둥 수업을 보내고 점심시간에 담임선생님이 나를 부르셔서 교무실로 갔다. 아무래도 현석이와 가장 친했기 때문에 진실을 알려주시려나 보다 하고 갔다. 내 예상의 반은 맞고 반은 틀린 얘기를 들었다. 선생님이 무거운 분위기로 말씀하셨다.

"우주야. 이미 들었을지도 모르지만, 현석이가 어제 저녁밥에 강당 계단에서 실족사했단다…. 너도 충격이 크겠지만 선생님이 큰마음을 먹고 말해준 거니 친구들에겐 당분간 비밀로 부탁한다."

난 의아해서 되물었다.

"네 선생님, 그런데 실족사라뇨?"

선생님은 날 신기하게 보셨다.

"응? 뭔가 아는 데 있니?"

'아차, 내가 사고의 목격자 겸 최초신고자인 건 아무도 모르지….'

"아녜요, 선생님. 그냥 똑 부러지던 현석이가 실족사했다는 게 믿기지 않아서요…."

선생님께선 수긍하는 듯한 눈치로 고개를 끄덕이셨다. 선생님이 알려주신 내용 중 현석이가 세상을 떠났다는 사실은 알고 있었지만, 사인이 실족사라고 나왔다는 게 믿기 힘들었다. 자기 스스로 목숨을 끊을 이유도 없을뿐더러 계단에는 조명이 있어서 발을 헛디딜 정도로 어두운 상황이 아니었기 때문이다. 그리고 주소가 적힌 종이와 비염약까지….

의심쩍은 게 많지만 일단 선생님께는 알겠다고 하고 교실로 돌아갔다. 오늘은 금요일이라 오후 시간에 자습이 많았다. 공부가 손에 잡히지도 않았고 생각할 게 많아서 내 나름대로 추리하기로 했다.

시간 순서대로 우선 첫 번째, 현석이가 떨어진 시간은 일반학생들의 야자가 끝난 시간인 9시 이후였다. 즉 집을 안 간 일반학생이 기다리다가 범행을 저질렀거나 같은 심화반 학생의 짓일 가능성이 높다. 물론 외부인이나 교직원을 배제할 수는 없다. 두 번째로, 현석이가 줬던 비염약과 쪽지가 아마 사건과 연관되어 있을 것이다. 그것에 대해 파헤치다 보면 수사망이 좁혀질 것 같다. 그리고 현석이가 나를 집으로 보낸 이유도 아마 나를 안 엮이게 하려는 이유가 아닐까, 생각되었다. 곧 있으면 시험인데 이러고있어도 되는가 싶었지만 아무래도 절친의 죽음의 배후를 밝히는 게 그의 죽음에 있을지도 모르는 억울함을 풀어주는 길이라고 생각했다. 쉬는 시간에 지환이가 나를 보러 우리 반으로 왔다.

"킁-. 마치고 같이 현석이 보러 가자. 아까 부고 문자로 식장 위치 받았어."

지환이가 코맹맹이 소리로 말했다. 지환이는 항상 비염을 달고 산다. 그래서 그의 곁에는 언제나 비염약이 있었다.

"오키. 그럼 같이 가자."

코를 심하게 먹길래 비염약 안 먹냐고 물어보니 그가 대답했다.

"아, 어제 잃어버려서 못 먹었지."

순간 뇌리에 한가지 생각이 스쳤다. 현석이가 죽기 직전 주머니에서 꺼내준 비염약, 그것은 틀림없는 지환이의 것이었다. 그런데 지환이가 현석이를 밀었을 리가 없으므로….

아무래도 범인이 비염을 앓는 게 아니고, 현석이가 죽는 순간까지 지환이의 물건을 지켜주려는 착한 마음을 가지고 있었던 것 같다.

현석이와 지환이와 나 이렇게 셋은 함께 다니는 절친들이었다.

그렇지만 만약, 진짜 만약 지환이가 현석이에게 몹쓸 짓을 했을까 봐 불안한 기분이 엄습했다. 하지만 티를 낼 순 없기에 생각을 접어두기로 했다. 당연히 간다고 하고 추리를 남김없이 했다. 생각해 보면 경찰에 신고하는 게 맞을지도 모른다. 17살 청소년의 힘으로만 해결하는 건 말도 안 된다. 그렇지만 만에 하나 그 비염약이 지환이가 범인이라는 증거라면?

경찰에 넘기면 아마 지환이는 유력 용의자가 될 것이다. 또 지환이가 누명을 살 수도 있고, 생각할 게 많은 것 같아서 경찰에 신고할 순 없다고 생각했다. 일단 상황을 더 지켜볼 필요가 있는 것 같다. 시험이 코앞인데 자습 시간에 다른 생각만 했다. 그래도 친구의 죽음이 훨씬 중요하니까 공부 얘기는 잠시 잊어야겠다.

종례하고 나서 선생님께 사정을 말씀드리니 오후 자습은 빼주셨다. 몇 분 뒤 교문에서 지환이를 만나서 택시를 탔다.

"보람 장례식장으로 가주세요."

"네. 알겠습니다."

삭막한 대화를 마지막으로 도착할 때까지 아무 말도 오가지 않았다. 로비로 들어가서 식장 위치를 물어 엘리베이터를 탔다. 그때까지도 아무 말 않다가 지환이가 입을 열었다.

"갑자기 없어지니까 너무 당황스러운 것 같네. 혹시 뭐 짚이는 거 없어? 누구랑 싸웠다든지?"

증거만 놓고 보면 유력 용의자일지도 모르는 지환이의 입에서 이런 말이 나오니 역시 내가 괜한 의심을 한 거겠지. 난 잠시 침묵을 지키다 대답했다

"그러게, 너무 갑작스러워서 눈물도 나오지 않는다. 아직도 걔 얼굴이 눈에 선한데…. 몰칸가 하하…?"

어색한 분위기를 풀어보려 얘기했는데 오히려 분위기는 더 굳어버렸다. 엘리베이터가 빨리 열리기만을 기다렸다. 마침내 문이 열리고 엘리베이터에서 내리니 복도가 복잡했다. 하지만 식장을 찾는 데는 그리 오래 걸리지 않았다. 현석 어머니의 구슬픈 울음소리가 들려서 식장을 쉽게 찾을 수

있었다. 며칠 전까지 우리 곁에 있던, 항상 웃는 표정의 현석이가 더 환한 표정으로 사진 속에 있었다. 훤칠하게 생긴 현석이가 우릴 보고 싱긋 웃어주었다. 답장하듯 사진 속 현석이에게 인사를 하고 현석이의 어머니와도 인사를 했는데 눈이 엄청나게 부으신 게 티가 났다. 평소 현석이는 심화반에 공부도 항상 1, 2 등을 앞다투었던 모범생이었고, 어머니를 걱정시키는 일이 없었다. 항상 알아서 잘했고 어머니 속도 안 썩이던 엄친아였던 아이라서 평소 어머니도 현석이를 무척 자랑스러워하셨다. 그런 아들의 죽음에 어머니가 얼마나 많은 눈물을 흘리셨을지 눈에 선하게 보였다.

계속 서 있기 뻘쭘해서 눈치를 보다가 지환이를 끓고 옆으로 빠졌다. 그때 눈치가 없는 시계가 7시를 알리는 소리를 냈다. 그러고 보니 학교 마치고 쉴 틈 없이 바로 와서 그런지 슬슬 배가 고팠다. 어른들이 많이 계셔서 웬만하면 안 먹으려 했는데 지환이와 나 둘 다 배고파서 저녁을 먹고 가기로 했다.

밥을 먹으려고 식장 바로 옆에 있는 테이블로 가니 얼굴이 시뻘게진 아저씨들이 시끄럽게 떠들고 있었다. 상중에 술을 이렇게 마셔도 되는지 궁금했다.

아무리 아이의 장례식장이라도 식장은 식장인데, 어떤 어른들한테는 경박하게 웃으며 대화할 수 있는 편한 자리인가 보다 생각했다. 순간 환멸감을 느꼈다. 적지 않은 수의 상복

차림의 사람 중에 과연 현석이의 죽음을 추모하기 위해 여기 온 사람은 과연 몇이나 될까? 대부분이 현석이의 부모님의 지인들이 가벼운 인사 차원에서 왔겠지.

지환이와 둘이 그들의 옆에 앉으려니 눈치 보여서 못 앉는다고 있던 중, 한껏 기분 좋아진 아저씨들이 다 같이 담배를 태우러 나갔다. 그런 사람들 때문에 불편하기도 하고, 배도 매우 고파서 그런지 맛은 느낄 새도 없이 허겁지겁 배를 채워나갔다.

그 아저씨들은 아마 현석이의 아버지의 지인이 아닐까, 생각됐는데 현석이 아버지는 주변 정리가 필요해 보였다. 뭐, 내가 할 수 있는 건 아니니 생각에서 그쳤지만, 확실히 그다지 매너 있는 인간들은 아닌 것 같다.

아마 지환이도 아저씨들이 돌아오기 전에 얼른 가야겠다고 생각했는지 나보다도 빨리 먹었다. 말은 하지 않았지만, 우리 둘 다 동시에 엘리베이터로 향했다.

한 박자 늦었는지 엘리베이터는 로비에서 올라오고 있었다. 난 지환이에게 말했다.

"야, 아무래도 그 아저씨들 또 볼 것 같은데."

지환이는 찡그리며 말했다.

"눈 깔고 그냥 지나가자."

아니나 다를까 엘리베이터가 열리고, 알코올 냄새와 함께 그들이 등장했다. 그런데 의외의 상황이 벌어졌다. 아저씨들

중 덩치가 크고 얼굴이 가장 붉은 사람이 우리에게 측은한 표정으로 말을 건넸다.

"너희들, 현석이 금마 친구제?"

"네."

지환이와 나, 동시에 대답했다.

"아까부터 시선이 쪼까 따가워서잉. 오해가 있는 거 같은디…. 우리가 아랑 아무 관련 없는 아재들은 아니고 쟈 어렸을 때, 준호랑 제수씨가 마이 바빴어서 거의 우리가 애 보다시피 했지…. 아마 현석이가 한 번쯤 말했을지도 모르지. 애가 4살 때까진 애 엄마, 아빠 보다 우리랑 더 오래 있었지. 다들 가정이 있었는데도 우리 제일 친한 준호네를 위해 돌아가면서 애를 봐줬어. 월요일엔 누구네가 봐주고 이렇게 말이지. 오늘 처음 보는 사이지만, 어쨌든 현석이를 위해 모인 자리고, 우리가 그냥 웃고 술 마시는 게 세상 편한 사람들로 보일 수도 있었겠지만, 다 큰 어른들이 이렇게 모여서 울기만 하면 또 그것도 그렇지 않겠니? 감정을 그대로 드러내서 울상짓는 것보다 애써 괜찮은 척이라도 하는 걸 그 애도 바랄 거라고 우린 생각했다."

"…네, 말씀 감사합니다."

그 순간 아저씨의 마지막 말에 실린 무게에 나는 마치 발가벗겨진 듯한 기분이 들었다. 내가 겉의 상황만 보고 아저씨들을 판단하고 아저씨들이 불편할 정도로 째려봤다는 것 아닌가. 나는 평소 남들을 내 선입견으로 판단하는 습관이 있다. 원래는 알지 못했었는데, 5개월쯤 전에 엄마랑 말다툼을 하고 나서 엄마가 알려주어 알게 되었다. 남을 선입견을 가지고 보는 건 나 스스로도 고쳐야겠다고 생각했지만, 오늘도 현석이의 아버지의 친구이신 분들께 그런 거보면 역시 습관은 쉽게 고쳐지지 않나 보다.

아저씨들과 눈인사를 하고 귀가 빨개진 채 지환이랑 같이 동네로 돌아왔다.

"넌 이제 어떡할 거야?"

지환이가 물었다.

'그러고보니 이제 어쩌지? 장례식장은 다녀왔고…. 아, 맞다…. 그 쪽지에 적힌 주소가 있었지. 근데 그걸 지환이한테 말해도 되는 걸까? 이 쪽지는 나만 알고 있는 단서인데 비염약을 생각하면 지환이도 용의자잖아. 이 얘긴 하지 말자.'

"난 피곤해서 집으로 가려고."

"그래. 잘 들어가고 월요일에 보자."

지환이가 더 이상 나를 못 볼 정도로 온 뒤 그 쪽지를 펼쳤다. 그곳은 지도 앱에 주소를 적을 필요도 없을 정도로 내겐 익숙한 장소였다. 그곳으로 발을 옮겼다.

걸어서 30분, 푹푹 찌는 더위에 버스를 탈까 싶었는데, 생각도 정리할 겸 걸어가기로 했다. 주소에 적힌 장소는 이

사가기전 우리집이 있던 주택 바로 옆 주택이다. 그리고 그곳엔 현석이네 가족이 살았었다. 현석이네나 우리집이나 거의 비슷한 시기에 이사를 갔다. 그래서 우리가 계속 친했던 걸지도 모른다.

가는 길에 익숙한 풍경들이 많이 보였다.

어쩌면 난 옛 동네를 보기 위해 걸어간 걸지도 모르겠다. 우리가족과 현석이의 가족이 살던 주택은 모두 신축 아파트 공사 바로 옆지역이었다. 내가 알기론 두 집 다 이사갈 때 내놓았는데 아직 안팔려서 빈집 상태인 걸로 알고 있다.

현석이네 옛집 앞에 도착해서 문을 두드렸지만 역시 아무도 없는듯했고, 문도 잠겨있었다. 포기하고 돌아가려던 찰나, 공동 우편함을 혹시나 하고 살펴봤다. 그곳엔 어렸을 적 현석이의 생일날에 지환이가 쓴 편지로 보이는 것이 있었다.

> 안녕. 현석아. 나 지환이야.
> 생일파티엔 초대받지 못했지만
> 나의 두 번째로 친한 친구인 너의 7번째 생일을 진심으로 축하해!
> 다음엔 우주만 부르지 말고 나도 불러줘 ㅠㅠ
> 우리 처음엔 우주의 친구로 만났었지?

너희 둘만 놀지 말고 놀 때 나랑 같이 셋이서 놀자!!
다시 한번 생일 축하하고 내일 우리집에서 놀래??
답장기다릴게 !

언뜻 봤을 때는 그냥 생일 축하 편지인줄 알았다. 과거를 떠올려 보자면 원래 나와 지환이가 친했었는데, 현석이네 가족과 우리 집이 옆집에 살게 되면서 자연스레 지환이와는 조금씩 멀어지고 현석이와 친해지게 되었다. 편지 내용을 보니까 당시 지환이가 나와 현석이가 많이 친해져서 둘이서만 놀고, 좀 서운한 게 많았던 것 같았다.

난 이런 편지가 있는 줄 몰랐었다. 지환이가 사건의 범인이건 아니건 지환이가 이런 서운함이 있었던 걸 알았더라면 내가 더 신경 쓰고 챙겼어야 하는데 라는 생각이 들었다. 왜 현석이가 나에게 이 집의 주소를 줬을까? 그리고 이 편지의 내용하고 현석이의 죽음은 무슨 상관이지? 애초에 상관이 있긴 한 건가? 머릿속이 물음표로 복잡했다. 일단 더 이상 그곳에서 우체통 말고 내가 조사할 수 있는게 없어서 편지만 가지고 집으로 발을 돌렸다.

집에 오는 길에 낯선 번호로 전화가 왔다. 낯선 번호임을 확인하고 나서 바로 받으면 좀 뻘쭘할 거 같아서 전화벨을 세 번 정도 기다렸다가 받았다.

"여보세요?"

굵직한 남자의 목소리였다. 남자는 자신을 중앙경찰서 수사팀장이라고 소개하였다. 이내 남자는 내가 질문할 것을 예상이라도 했는지 이야기를 했다.

"다름이 아니라, 현석 씨 친구분 맞으시죠? 제가 이번 사건 담당 형사로 배정되었는데 사건 현장에도 그렇고, CCTV나 증거가 없는 상황이라서요. 혹시 알고 계신 게 있으시면 도움을 좀 부탁드려도 될까요?"

나는 순간 당황했지만, 그날 현석이가 경찰에 신고하지 말라고 한 것이 떠올라 모른다고 대답해 넘겼다.

"아니요…. 저도 아는 바가 없습니다."

"아하 그러시군요. 혹시라도 새로운 정보를 알게 되시면 연락 부탁드리겠습니다. 이 번호, 저장해 두십시오. 저도 수사에 진전 생기면 연락드리겠습니다. 친구분의 억울함은 제가 꼭 풀어드리겠습니다."

"감사합니다…."

전화를 끊고 나서 머릿속이 엄청 복잡했다. 그래서 상황을 정리해 봤다. 일단 현석이가 죽었고 최초 신고는 내가 익명으로 했다. 현장에 CCTV나 마땅한 증거도 안 보여서 경찰도 수사에 어려움을 겪고 있다고 했다. 나한테 현석이가 넘긴 물건들이 있지만 현석이가 죽기 전에 나더러 경찰에 신고하거나 하지 말라고 해서 나는 혼자 나름의 추리를 진행하고 있다. 내가 좀 신경 쓰이는 것은 피해자인 현석이 입장에서는 누가 자신을 밀면 바로 경찰에 신고할 텐데, 그는 그러지 않았다. 내 생각엔 차마 신고할 수 없었던 인물이 범인일 가능성도 있는 것 같다.

신고할 수 없었던 사람이라 하면 현석의 좁은 인간관계에서 지환이나 반 친구들 정도로 좁힐 수 있을 것 같다. 그리고 그 비염약이랑 편지도 신경을 안 쓸 수가 없는데, 내가 아는 바로는 현석이 주변에 비염약을 쓰는 사람은 지환이밖에 없고, 편지의 내용도 지환이와 관련된 것이니 지환이를 용의선상에 둘 수밖에 없었다. 물론 지환이가 범인이 아닐 가능성이 훨씬 크겠지만, 장례식 날부터 왠지 모르게 찝찝했다. 생각에 잠겨 걷다 보니 어느새 집에 도착했다.

어머니도 막 집에 도착하신 듯 외투를 벗고 계셨다. 우리 집은 대화가 좀 많은 편인데, 오늘 저녁 식사도 그랬다. 오늘의 대화 주제는 동생의 학원 얘기이다. 현석이가 죽은 이후 부모님은 내게 관련된 이야기는 안 하셨다. 그러다 오늘 갑자기 내게 물어보셨다.

"우주야, 요즘 걱정 있어 보이던데, 혹시 무슨 일인지 알

수 있을까?"

"네?"

내가 되물었다.

"그냥 현석이가 떠나고 나서 요즘 통 조용하고, 학원도 자주 빠지고…. 걱정 없는 게 이상한 거 아니겠어?"

"음…. 현석이가 죽고 나서 많이 슬픈 건 맞지만, 되도록 생각하지 않으려고 애쓰고 있어요."

"근데 심화반 할 정도로 공부 잘하는 애가 한순간에 떠났는데, 꼭 공부가 답일까요? 그런데 어떤 일을 하던 지 죽음 앞에서는 부질없는 것들 아닌가요? 잊으려고 해도 잊혀 지지가 않고 죽음을 간접적으로 겪어봐서 그런지 요즘 머리가 복잡해요."

내가 쏘아붙이듯이 얘기했다.

몇 초간의 침묵이 흐르고, 내가 진정되자, 어머니는 입을 떼셨다.

"후련하지 않니? 엄마가 살아보니까 혼자 짊어지기 버거우면 누구한테나 털어놓는 게 나은 것 같더라. 엄마는 아들이 솔직하게 얘기해줘서 다행이라고 생각해."

사실 솔직하게 다 털어놓은 것은 아니었지만, 그 순간 엄마의 말이 머릿속에 탁 꽂혔다.

"고마워요, 엄마. 덕분에 한결 후련해진 거 같아요."

그렇게 길었던 하루가 끝났다.

8일 후.

오늘은 시험이 끝난 다음 날이다. 현석이와 관련된 생각은 싹 잊고 나름대로 시험 준비를 했는데, 역시 8일의 기적은 그저 기적에 불과했나 보다. 시험은 예상대로 망했다.

사실 8일 동안 현석의 사건에 대해 진술할까, 하는 고민을 수백 번도 넘게 했지만, 아직은 더 버틸 수 있을 것 같아 남에게 털어놓는 선택은 하지 않았다.

솔직히, 찾아도 추가 단서도 나오지 않고, 용의자는 아무리 봐도 내 또 다른 베스트 프렌드인 지환이인데…. 혼자 고민할수록 사건은 더 미궁 속으로 빠져들었다. 그러던 와중, 반 친구가 나를 향해 소리쳤다.

"야, 우주. 수학 선생님이 교무실로 오라셔."

수학 선생님은 우리 반 수업을 진행하시는 선생님이시다. 원래 수학과 최고 경력의 선생님으로 학교 내 입지가 대단하셨던 선생님이신데, 어느 순간부터 담당하시는 반이 점점 적어지고, 시험 문제도 출제 안 하시는 걸로 들었는데 자세한 이유는 모른다.

어쨌든 그 선생님이 나를 부르시는 이유는 뭘까? 나는 그 선생님과 친하지도 않고 접점이 아예 없는데 말이다.

시험을 친지는 이제 하루가 지났는데, 벌써 성적이 나온 걸까?

나는 의아해하며 계단을 올라서 교무실에 들어섰다. 맛있어 보이는 다과, 평소엔 보지 못하는 선생님들의 책상과 그 위에 있는 것들은 언제나 신선한 풍경인 것 같다. 그렇게 잡생각을 하며 수학 선생님의 자리로 느긋하게 가고 있었는데, 모퉁이를 돌자마자 따가운 눈빛이 나를 향했다.

"우주, 너 진짜 중요한 얘기니까 진지하게 대답해라."

"너, 현석이가 학교에서 죽은 날, 현장에 있었지? 범인이 너인 거 아니야? 얼핏 스쳐봤지만, 너희 둘이 꽤 친한 친구였더니만."

"아닙니다. 선생님, 저는 그 자리에 없었고 만약 있었다고 해도 가장 친한 친구한테 제가 어떻게 그런 짓을 해요?"

"그래? 아무리 그래도 선생님은 의심된다. 일단 넘어가지만, 알리바이를 준비하는 게 좋을 거야."

수학 선생님의 말이 끝나기 무섭게 나는 도망치듯 교무실을 뛰쳐나왔다. 들어갈 때 보이던 맛있어 보이는 다과도, 선생님들의 책상 위 기념사진들도 눈에 들어오지 않았다. 도대체 어떻게 보신 걸까? 뒤이어 나는 겁이 나기 시작했다.

만약 내가 누명을 써서 범인으로 지목되면 어쩌지? 하는 생각이 뇌를 끊임없이 강타했다. 나는 그대로 운동장으로 뛰쳐나와 구석 벤치에 쭈그리고 앉았다. 몇 분 후, 쉬는 시간의 끝을 알리는 종이 울렸지만, 나는 차마 교실로 돌아갈 수 없었다. 그래서 수업이 다 끝나고 나서 짐만 챙겨가려고 체육 창고에 몰래 들어갔다. 이곳은 원래도 인적이 드문 곳이었지만 강당이 생기고 나서부터는 아예 쓰이지 않는 곳이다. 체육 창고에서 곰곰이 생각해 보니 내가 너무 한심했다. 가장 친한 친구의 죽음을 목격한 사람은 나뿐인데, 그 친구가 하지 말랬다고 진짜로 신고만 하고 경찰에 도움을 요청하지도 않다가 결국엔 용의자로 지목받다니, 나 스스로가 정말 줏대 없는 사람으로 보였다. 이후 나는 감정에 복받쳐서 한참을 울다가 지쳐 잠들었다. 눈을 떠보니 밖은 어두컴컴했다. 교실로 가보니 다행히 내 짐은 그대로 남아있었다. 행여 누가 볼까 봐 조심스럽게 챙겨서 반을 나왔는데, 앞에는 담임선생님이 계셨다.

“선생님, 안 가셨어요?”

“왠지 네가 올 것 같아서 기다렸다. 안 그래도 오늘 노망난 수학 선생이 자꾸 네 얘길 하더라고. 자꾸 네가 범인이니 뭐니 하면서…. 근데 선생님은 네가 그럴 애 아닌 거 알거든? 속상해서 수업 안 들어온 것 같아서 언젠간 올 것 같아서 기다렸지."

"…아하."

그 순간 나는 생각했다. 수학 선생 같은 사람에게 '님'자를 붙이지 않겠다고, 그리고 우리 담임선생님 같은 진짜 어른에게는 존경의 태도를 보이리라고.

"혹시 선생님한테 얘기해줄 순 없을까? 아는데 말 못하는 비밀이 있으면 선생님에게 이야기해도 괜찮아."

다른 날이었다면 똑같이 입을 닫고 있었겠지만, 그날은 왜 그랬는지 누군가에게 이야기하고 싶었다. 그래서 모든 일들을 다 솔직하게 털어놓았다.

"사실 제가 현석이가 떨어졌을 때 신고한 사람이에요…. 엄청 큰 비명 소리가 나서 가보니까 현석이가 피를 흘리고 있었어요. 걔가 저한테 비염약이랑 주소가 적힌 쪽지를 주면서 빨리 다른 데로 가라, 그리고 신고하지 말라고 했어요. 엄청 강하게 얘기해서 무슨 뜻이 있구나 싶긴 했지만, 애 상태가 신고를 안 할 수가 없어서 익명으로 신고하고 집으로 돌아왔어요. 그 이후에 쪽지에 적힌 주소나 비염약, 그리고 평소에 관계 등을 생각해서 나름대로 추리해 본 결과로는 아무리 봐도 지환이가 범인인 것 같았어요. 근데 현석이가 죽기 전에 한 말이 신고하지 말라는 것인 게 걸려서 신고는 하지 않고 계속 신경만 쓰고 있는데 저는 학생이고,

혼자 찾는 게 너무 힘들었어요. 게다가 오늘은 그 수학 선생님에게 오해까지 받아서 더 힘들었어요."

담임선생님께서는 너무 감사하게도 나의 긴 이야기를 다 들어주셨고, 몇 분 고민하시더니 입을 떼셨다.

"지환이하고는 얘기해 봤니?"

"네? 딱히 안 해봤어요."

" 한번 해보는 게 나을 거 같은데? 그리고 네가 혼자 하기엔 버거운 일이 맞고 넌 그 상황에서 최선을 다한 것 같은데? 마냥 어린 앤 줄 알았는데 대견하네. 지환이랑은 꼭 얘기해 봤으면 좋겠어. 그리고 수학 선생 쪽은 걱정하지마. 선생님이 네 무고를 밝혀주마."

"넵. 선생님, 감사합니다."

"그래"

장례식장에서 만난 아저씨들, 엄마, 그리고 담임선생님까지 많은 어른들에게 도움을 받았는데 정말 감사했다. 집에 와서 오늘은 그냥 자고 내일 지환이에게 직구를 던져야겠다고 생각하고 잠에 들었다. 다음 날, 지환이에게 전화해서 할 말이 있으니 만나자고 얘기했다.

"오늘 시간될까? 물어볼 게 있어서 그래."

"오늘? 괜찮지. 근데 뭐길래?"

"음…, 만나서 물어봐도 될까?"

"그래. 언제 어디서 볼까?"

"2시? 괜찮나? 그때 어디야 카페에서 보자."

"어."

알고 지낸 지 오래돼서 그런지 지환이와의 전화는 항상 짧은 편이었다. 어쨌든, 나는 오늘 지환이에게 네가 현석이를 죽였냐고 물어볼 생각이다. 이제 혼자 끙끙 앓지 않기로 바로 어제 다짐했기에 오늘은 뭐든지 간에 꼭 해내야 한다.

약속 시간까지는 시간이 조금 여유 있는 줄 알았는데, 잠깐 쉬었더니 금방 두 시에 가까워졌다. 어디야 카페는 나와 지환이 그리고 생전의 현석이가 함께 자주 가던 곳인데, 눈 감고도 가는 길을 찾을 수 있는 정도다. 오늘은 내가 부르기도 했고, 할 말도 있었기에 한 10분 정도 일찍 도착해서 지환이를 기다렸다. 곧이어 지환이가 도착했다.

"어, 왔어? 난 음료 이미 시켰어. 너 마실 거 주문하고 와."

"그래서. 왜 불렀어? 질문이 뭔지 안 알려주는 게 영, 싸하단 말이지…."

"음, 그게…."

지환이를 만나기 전까지만 해도 반드시 물어보리라 다짐했는데, 막상 지환이를 만나니 그 한마디가 목에 걸려 나오지 않았다. 몇 초간의 정적 후, 내가 입을 뗐다.

"그 현석이…. 있잖아…. 네가 민 거야?"

"…? 그게 무슨 소리야?"

"사실 그날 신고한 게 난데 어쩌다 보니 현석한테 비염약이랑 옛날 집 주소를 받았거든? 근데 비염약도 네 것 같고 주소도 네 집 주소였단 말이야. 현석이가 죽기 전에 아파할 때 바로 신고하려다가 현석이가 나보고 직접 신고하지 말래서 익명으로 신고하게 된 거야."

"현석이가 내 비염약을 줬다고? 아! 그래 그날 현석이가 급하다길래 내가 비염약을 빌려줬었어. 주소는…. 잘 모르겠다. 다 나랑 관련 있어서 오해할 만한데 난 진짜 아니야…."

"어…, 엥? 그렇게 별거 없는 일이었어? 그리고 너 현석이 별로 안 좋아하지 않았어? 안 좋아하는 걸로 알고 있어서 진짜로 네가 민 줄 알았는데?"

"솔직히 나랑은 잘 안 맞고 공부도 잘하지, 운동도 잘하지 여튼 엄친아잖아? 절친이면서도 별로 좋아하진 않긴 했는데…. 내가 그 정도로 사람 밀 것 같이 보이냐? 너무 간 거 아니야?"

그렇게 나의 묵은 고민은 단순 해프닝으로 끝났다. 그동안 나는 신고하면 지환이가 감옥에 들어가는 건데 그게 맞나? 그래도 현석이가 죽었는데 죄를 물어서 억울함을 풀어주는 게 맞지 않나? 두 고민 사이에서 갈등했는데 정말 괜한 걱정이었던 것이다.

잠깐의 정적 후에 지환이가 농담으로 입을 뗐다.

"그동안 날 살인범으로 봤겠군. 오해도 풀렸겠다, 이제는 어쩔 계획인데?"

"이제 이 일은 경찰에 맡기는 게 맞겠지? 경찰서 갈 건데, 같이 갈래?

"가야지?"

나름대로 신경 써서 추리했는데, 차라리 바로 신고하는 게 나았을지도 모르겠다. 그랬다면 범인도 이미 잡히고 현석도 하늘에서 발 뻗고 편하게 지낼 수 있지 않았을까? 역시 내가 그렇지. 나는 항상 용의주도하지 못하구나….

몇 분 후, 나와 지환이는 학교 앞에 있는, 힘들면 언제든지 연락하라던 그 경찰 아저씨가 근무하시는 경찰서에 도착했다. 경찰서를 와본 적은 없어서 앞에서 기다리다가, 마침 지난번에 아저씨가 전화번호를 주신 게 떠올라서 전화를 걸었다.

띠리리링.

띠리리링.

달칵-.

"여보세요?"

"어, 우주구나? 무슨 일 있니?"

"네. 말씀드릴 게 있어서요. 지금 경찰서 앞인데, 그냥 들어가면 되나요?

"아, 바로 앞이니? 내가 지금 나가마."

아저씨의 안내로 우리는 경찰서 안에 들어오게 되었다.

"도대체 한다는 말이 뭐길래 이렇게 뜸을 들이니?"

"아, 음…. 사실 제가 현석이가 죽은 날 현장에 있었던 신고자예요."

"그게 무슨 소리야? 네가 신고자라고? 그럼, 왜 신고를 하지 않은 거야? 왜? 네가 진작에 협조했으면 사건 해결이 얼마나 쉬워! 나랑 장난하는 거냐?"

갑자기 자리에서 일어난 아저씨는 볼펜을 들어 나를 위협했다. 그러자 지환이가 아저씨의 팔을 잡고 막았다.

"아저씨 진정하시고 제 말 좀 마저 들어주세요. 진짜 어쩔 수 없었다고요…."

그렇게 해서 나는 그날 학교에서 있었던 일부터 내가 지환이가 범인일까 봐 알리지 않고 혼자 찾았다는 이야기, 학교에서 범인으로 오해받았다는 이야기, 알고 보니 지환이는 범인이 아니었던 이야기 등등 그동안 있었던 현석이와 관련된 모든 일을 털어놓았다.

아저씨는 이야기를 들으며 점점 차분해지셨고, 지환이도 고개를 끄덕이며 다 들어주었다. 이야기가 끝난 후, 아저씨가 눈을 감고 팔짱을 끼며 말했다.

“쌩쑈 했구만. 그래서, 이제는 어쩔 생각이냐?”

“혼자 해도 괜찮을 줄 알았는데, 그동안 너무 힘들었고, 주위 어른들이 털어놔도 괜찮다고 걱정해 주셔서 이젠 털어놓으려고요. 방금 털어놨으니 이제 손 떼고 다시 일상으로 돌아가려고요.”

“음…. 그러냐. 그래도 나름 애썼구먼? 이제부터는 아저씨가 팀원들이랑 같이 조사해 보마. 맞다, 그리고 그 현석이가 줬다는 쪽지에 적혀있는 주소 좀 줄래? 우리가 한번 가봐야겠네.”

“네. 감사합니다. 이제 가보겠습니다.”

“그래. 가봐라. 뭐 좀 찾으면 아저씨가 알려주마.”

한 달 동안 끙끙 앓던 문제가 단번에 내 손을 떠나니 기분이 이상했다. 그동안 신경이 다른 데로 가 못하고 있던 취미생활도 좀 하고, 시험을 망쳐서 일말의 양심으로 모의고사도 좀 풀며 지냈다.

그런 평화로운 일상이 이어지던 와중, 경찰 아저씨한테서 전화가 왔다.

“우주야, 그 집 현석이가 전에 살던 집이라고 했었지? 영장 뽑아서 가보니까 걔 1학기 중간고사 성적표만 있고 나머진 그냥 빈집인데? 현석네 가족이 언제 이사 갔는지 알고 있나?”

“네. 중2 때 이사 가서 거긴 아무도 안 살고 있는 걸로 알고 있어요.”

“그럼, 얼마 전에 빈집까지 와서 놓고 간 거네? 근데 이상한 게 하나 있어. 수학 성적 적힌 부분에 X표가 엄청 많이 있네?"

"네, 그 원래 틀린 문젠데 현석이가 이의제기해서 정답이 바뀌어서 그런 걸 거예요. 그거 때문에 1학기 때 저희 학교 좀 시끄러웠거든요. 막 수학 선생님이 시말서 쓰고 교장 선생님한테도 크게 한 소리 들으셨다는 말도 돌고요."

"너한테 범인이라고 몰아간 그 수학 선생?"

"네. 그 사람이요."

"그 사람, 그날 현장에 있었다며? 좀 조사해 봐야겠네. 마저 조사하고 연락해 주마. 너무 걱정 말고."

"네. 감사합니다."

2주 후, 현석이를 죽인 진범이 마침내 밝혀졌다. 범인은 수학 선생이었다. 사건 당일 비가 내려서 옷에서는 지문이 검출되지 않았지만, 주머니 안에 있던 쪽지를 지문 검출 한 결과, 나와 현석이, 그리고 수학 선생의 지문이 나왔는데 나는 아저씨 덕분에 용의선상에서 제외될 수 있었고, 경찰서에서 추가 심문을 진행한 그녀는 결국 범행을 자백했다. 그녀가 현석이를 죽이게 된 계기도 듣게 되었는데, 대충 이러하다.

1학기 중간고사 때 수학 한 문제의 정답이 바뀌고 나서 손해를 본 몇몇의 극성 학부모들이 그녀의 전화번호를 찾고, 문자 해서 협박을 하거나 가족도 언급하며 괴롭혔고, 교장선생님에게도 압박을 가해서 수학 선생에게 눈치를 주게 했다. 물론 선생의 상황도 안타깝고 불쌍하긴 하지만, 미화

할 생각은 없다.

어쨌든 그 힘든 상황을 모두 현석의 탓으로 돌리곤 죽인 것이니 말이다. 어쩐지 잘못 없는 나를 범인으로 몰아가거나 예민한 말투를 쓴다 싶었다. 결국 수학 선생은 재판 끝에 30년 형을 구형받았고, 학부모들에 대해서도 정신교육이 이루어졌다.

사건이 잘 매듭지어진 것 같아 마음이 놓였다.

1주일 후, 이미 현석이는 납골당에 안치되었다는 소식을 받았다. 나는 친척은 아니기에 일찍 가진 못했지만, 우리끼리라도 가면 어떨까 싶어서 지환이랑 다녀오기로 했다.

빈손으로 가기도 뭐해서 꽃이라도 사서 꽂아주려고 꽃집에

들렀다.

“어서 오세요. 찾으시는 꽃이 있으신가요?”

“납골당 방문할 때 보통 다들 어떤 꽃을 쓰시나요?”

“보통 국화 많이 쓰시죠. 조문 가시나요?”

“네, 그럼, 국화로 살 수 있을까요?”

“아 근데 저희가 지금 국화가 다 팔려서 재고가 없네

요…. 혹시 원하시는 다른 꽃이나 떠오르는 꽃말 있으시면 제가 찾아드리겠습니다."

근처에 다른 꽃집이 없었기에 국화는 포기해야 할 것 같았다.

"음…. 뭘로 할까? 지환이 너는 뭐가 좋을 것 같아?"

"난 딱히 생각 나는 게 없어."

"흠…. 사장님. 어떤 꽃말이 있는지 살펴봐도 돼요?"

"네. 잠시만 기다려 주세요."

"자 여기 있습니다. 가격은 7000원입니다."

"넵. 감사합니다."

"안녕히 가세요."

우리는 꽃집에서 꽃을 사서 납골당으로 향했다.

버스에 앉아 가는 길에 그동안 있었던 일을 생각해 보니 참 많은 일이 있었던 것 같다.

다만 확실한 것은, 혼자 감당하기 힘든 일이 있으면 주변 사람들에게 도움을 요청해도 되고, 내 생각 이상으로 어른들의 위로가 큰 힘이 된다는 것이다. 이번 일이 내 청소년 시절을 대표할 수 있는 일이 아닐까. 그래도 다 해결되고 나니 나름 어른에 가까워진 것 같다.

납골당에 도착한 후에 우리는 현석이의 자리를 찾아 움직였다.

"F-1224? 여긴 아니고…. 아, F-1227. 여기다."

그곳으로 가니 사진 속 현석이가 환하게 웃고 있었다.

"지환아. 현석이랑 인사하고 오자."

현석이가 있는 칸 앞에 서서 우리는 잠시 묵념했다.

'현석아, 나 왔어. 거긴 좀 괜찮아? 너를 죽인 범인은 이제 잡혔어. 너를 절대 잊어버리지 않고, 언제나 내 마음속 한 편에 너를 담아둘 것을 약속할게. 한번 친구는 영원한 친구라잖아? 여기도 지환이랑 자주 올게.'

그러고 보면 내 생각도 옛날에 비해 많이 변했다. 혼자 하려던 일이 어른들의 도움을 받으니 쉽게 풀렸고, 어떤 짐이든 혼자 짊어진다고 어른스러운 게 아닌 걸 알았다.

청소년에서 어른으로 가는 과정이 있다면, 나는 이제 그 과정을 거친 것만 같았다.

길쭉하고 향기로운 보라색의 성숙을.

꽃향유라는 이름을 가진 꽃을 가지런히 정리해 현석이의 칸에 내려두었다.

Aides

제1화
나의 과거 이야기

난 지금 17살 고등학교에 입학한 고등학교 1학년 학생이다. 그 말은 나는 중학교를 졸업하고 고등학교에 올라오게 된 셈이다. 나는 자주 아니 매일 중학교 때 겪었던 모든 이야기들이 하나도 빠짐없이 항상 생각난다.

때는 중학교 2학년 1학기 나는 시골에 살았었다. 그런데 아버지가 병으로 돌아가시고, 어머니와 나 이렇게 둘이서 어렵게 생활하고 있었다.

시골에서 생활하면 좋겠지만 시골에서도 저 멀리 있는 도시처럼 마을이 바뀌게 된다며 집값이 오르는 것은 물론이고 작게나마 해왔었던 농업 생활도 이젠 못하게 되었다. 그래도 조금씩 모아두었던 비상금 덕분에 도시에 자그마한 반지하 집은 구할 수 있었다. 그렇게 나도 도시로 이사를 오면서 학교 또한 전학을 오게 되었다. 시골은 학생들이 많지가 않아서 조용하게 생활할 수 있었지만 도시로 전학을 오면서 나의 학교생활은 완전하게 뒤바뀌게 되었다.

나는 교무실에서 선생님의 안내를 받아 새 교실로 들어오게 되었다. 역시 시골과는 다르게 교실 밖에서도 시끌벅적한 이야기 소리가 들려오고 있었다. 그리고 문을 열고 들어가 선생님이 말했다.

"전학생 왔다."

선생님의 말씀에도 반에 있던 학생들은 여전히 시끄럽게 떠들고 있었다. 생김새를 살펴보니 머리부터 염색을 한 학생도 있었고 교복을 입고 오지 않는 불량 차림의 학생들도 보였고 교실로 들어가자 담배 냄새가 진동하였다. 선생님도 지치셨는지 나에게 아무 자리에 앉으시라는 말과 함께 교실을 떠나가셨다. 나는 빈자리를 찾아 아무 곳이나 앉아 책을 꺼내고 있을 때였다.

"넌 어디서 왔냐?"

떠들고 있던 학생들 무리 중 하나였다.

"난 시골에서 전학왔어."

그러자 학생들이 웃기 시작한다.

"야. 쟤 시골에서 왔대."

그러자 옆에 있던 친구도 같이 비웃으며 말했다.

"아직도 시골이 있었어? 와 거기서 어떻게 살아?"

그래도 난 신경 쓰지 않았다. 나는 조용히 학교생활만 하면 되는 거니까.

그렇게 1교시를 알리는 종소리가 울리기 시작하였다. 선생님이 수업을 하기 위해 교실에 들어와도 학생들의 소리는 살짝 줄어들 뿐 떠드는 소리는 완전히 없어지지 않았다. 하지만 이곳에서는 선생님들이 아랑곳하시지 않고 수업을 진행하셨다. 그렇게 긴 45분이 지나고 쉬는 시간 종소리가 울렸다. 또 다른 학생들이 나에게 말을 걸기 시작했다.

"야. 돼지야. 나 배고픈데 나 빵 좀 사주라."

나는 아침에 엄마에게 받았던 만원이 문득 생각났다. 하지만 이런 학생들에게 빼앗기기는 싫었다.

"내가 돈이 없어서... 다음에 사줄게."

그러자 나에게 말을 걸었던 학생은 갑자기 눈빛이 돌변하여 내 책상을 발로 차버렸다.

"야. 내가 돈 달라 했어? 빵 사주는 게 그렇게 아깝냐?"

나는 무서워서 아무 말을 할 수 없었다. 그러자 그 무리 중 대장으로 보이는 아이가 내 뺨을 때렸다.

"찾아서 나오면 죽인다."

나는 당연히 아무 말을 할 수 없었고 그저 내 가방을 뒤져 보는 걸 지켜보기만 할 수밖에 없었다. 하지만 돈은 주머니에 넣어놨기에 아직은 눈치채지 못하였다. 무리들은 결국 자리를 떠났고 난 그 자리를 정리하기 시작했다.

떠나가서 다행이지만 앞으로 당할 괴롭힘에 한숨이 나왔

다. 시골 학교에서는 내가 외모가 못생기고 뚱뚱하다는 이유로 괴롭힘은 아니어도 친구 없이 살아왔다. 하지만 여기서는 하루하루 살아가는 것이 벅찰 것만 같은 느낌이 들었다.

나에게는 10분이라는 짧은 시간이 엄청나게 길게 느껴졌고 그때 또 종소리가 들려오기 시작했다. 1교시와 다를 것 없이 제대로 된 수업은 들을 수 없었고 쉬는 시간마다 무리들이 찾아와 나를 괴롭히고 폭력을 사용하는 것이 내 학교생활의 반복이었다. 그렇게 점심시간이 찾아왔다.

점심시간이 되어 급식실로 이동하여 배식을 받아 자리에 앉을 때였다. 이제는 나에게 담배를 사달라고 부탁하기 위한 일진처럼 보이는 3명이 찾아왔다. 나는 아까처럼 아무 말도 하지 않았다. 그중 1명이 여자였었는데 그 여자에게 잘 보이기 위해선지 남자 2명이 갑자기 나에게 폭력을 사용하여 배식받은 식판도 없어졌고, 나는 운동장 끝 쪽 창고 근처로 끌려왔다. 아까는 근처에 선생님이 있어서 그래도 화를 내지는 않았지만 역시 외진 곳으로 오게 되니 욕설과 함께 주먹을 날렸다.

"담배 좀 사달라고, 우리가 돈 달라 했어?"

난 그렇게 맞고 있을 때 그곳을 지나가는 선생님들을 보았다. 하지만 선생님들은 학교 폭력 장면을 보고도 모른척하며 지나가고 있었다. 이런 장면을 보고도 눈을 피한 것이다. 그렇게 큰 고통만 가득했던 첫날이 끝이 났다.

그렇게 난 집으로 들어갔고 그 뒤에 바로 엄마도 집으로 들어오는 것 같았다. 엄마가 물었다.

"학교는 어때, 재밌었어?"

나는 엄마에게 모든 사실을 숨기고 대답했다.

"응. 너무 재미있었어!"

엄마는 저녁 준비를 위해 나에게 심부름을 시켰다. 나는 마트에 가서 재료를 사서 집으로 가는 길에 아까 나를 폭행한 3명을 다시 마주치게 되었다.

그중 한 남자가 나를 부르는 소리가 들리기 시작했다.

"어, 야 재 우리반 돼지 아니냐?"

나는 도망치고 싶었지만 잡히고 맞을 것을 직감했기에 그들에게 갈 수밖에 없었다.

"야. 돈 좀 있냐? 우리가 돈이 부족해서."

여기서 없다고 하면 돈을 찾고 폭력을 휘두를 것이 분명했기에 나는 거스름돈을 넘겨주었다.

"이것 밖에 없다고? 확실하냐?"

나는 당당히 그게 다라고 대답했다. 그러자 다른 남자애 한 명이 내 주머니를 뒤지기 시작했다. 주머니에서는 만원이 나오기 시작했고, 그 만원은 아침에 숨겨두었던 만원이었다.

"야. 이 만원은 뭐냐?"

나는 어쩔 수 없이 떨리는 목소리로 엄마에게 받은 돈이라고 돌려달라고 말하였다.

“근데 돈이 있었는데 거짓말 한 거네? 거짓말 했으니까 이 돈은 내가 가져가면 되지?”

그 만원은 그들이 가져가며 자리를 옮기려고 하였다. 나는 엄마에게 받은 돈을 빼앗기기 싫었다.

“제발 부탁이야. 엄마에게 받은 거야. 돌려줘.”

그러자 남자 2명이 나를 또 때리기 시작하였다.

“얘 좀 봐라. 좋게 얘기하니까 내가 니 친구처럼 느껴지냐?”

그렇게 나는 계속 맞았다. 그러다 지나가는 주민이 신고라도 하였는지 경찰차가 싸이렌을 울리며 다가오고 있었다. 그걸 들은 무리들은 급하게 자리를 피하여 금방 사라졌다. 나도 경찰에게 들키긴 싫어 집으로 빠르게 뛰어갔다. 집으로 들어가자 엄마가 물었다.

“무슨 일 있었어? 왜 이렇게 옷이 더러워?”

“오는 길에 살짝 넘어졌어. 그러다 돈도 떨어뜨렸나 봐.”

엄마는 괜찮냐고 되물으며 함께 저녁 식사를 하였다. 그리고 잠에 들기 위해 이불 위에 누웠다. 그러자 나는 오늘 하루가 갑자기 생각나며 내일도 똑같은 고통을 받을 거라는 생각에 너무 힘들었다. 그렇게 다음날이 되었고 나는 등굣길에도 무리에게 돈을 뜯기고 맞게 되었다. 그럴 때마다 엄마 생각이 나며 꾹 버티며 살아왔다. 그렇게 1년 반이 넘으며 중학교 3학년 졸업이 다가왔다.

나는 그동안 많이 맞으며 항상 뒤처지며 살아왔다. 하지만 졸업과 동시에 그래도 이 무리에게서는 해방이라는 생각에 그나마 긍정적인 생각으로 하루를 보내기로 하였다. 엄마한테는 친구들과 놀 거라며 엄마에게는 졸업식에 참석하지 않아도 된다고 말하였기에 그나마 편하게 끝낼 수 있었던 거 같다. 하지만 그날도 평소와 마찬가지로 그 녀석들에게 돈을 뜯기고 있었다. 나는 너무 화가 났었지만 오늘만 버티면 된다는 생각으로 버티고 있었지만, 그때 익숙한 목소리가 들려왔다.

"지금 이게 무슨 짓이야?"

엄마였다. 나는 당황하여 엄마에게 말했다.

"친구들이야. 엄마 난 괜찮아."

엄마는 그 무리에게 왜 나를 때리는지 매우 화난 목소리로 말하고 있었다. 그러자 그 무리들은 덤덤한 표정으로 말대꾸하였다.

"아, 그냥 친구끼리 장난친 걸로 되게 뭐라 하시네."

그리고 엄마는 나를 일으키며 내 상태를 확인해 주었다.

"오늘은 그냥 넘어가는데 다음에도 걸리면 그때는 가만두지 않아."

무리는 그렇게 자리를 뜨게 되었고 나는 엄마랑 집으로 돌아가게 되었다.

제2화
나의 조력자

그렇게 나에겐 길고 길었던 하루가 끝나고 잠자리에 든지 살짝 지난 후였다. 나는 숨을 헐떡이며 일어났다. 그들에게 또 당한 악몽이던 것이다. 꿈속에서 또한 폭력을 당하며 괴롭힘당하다가 막 꿈에서 깬 것이다. 시간은 새벽 4시 20분 꿈에서나 현실에서나 무섭고 힘들었던 것은 사실이었다.

난 잠깐 바람을 쐬기 위해 밖으로 나갔다. 다행히도 엄마는 늦게까지 집안일을 하다가 잠에 든 모양이다. 나는 집 근처 아무것도 없는 빌딩 옥상으로 올라가 야경을 바라보며 서 있었다. 여기서 그냥 떨어져 버리면 나에게는 자유가 주어진다고 생각하고 있었다.

하지만 엄마 생각에 그럴 순 없었던 것 같다. 하나뿐인 아들이 사라졌을 때의 슬픔은 나조차도 모를 것 같았기 때문이다. 하지만 내가 학교에서 받는 고통 때문에 당장이라도 뛰어내리고 싶은 심정이었다.

시간은 오전 5시 45분, 해가 뜨려고 빛이 나오고 있던 즈음에 곧 있으면 학교를 가게 될 텐데 분명 학교에 가면 아까 엄마가 했던 말 때문에 또 나를 괴롭힐 것이 분명했다. 나는 분노와 무서운 감정을 참지 못하고 뛰어내리려 하였다. 그 순간 누군가의 목소리가 들려왔다.

"잠깐."

그 아이는 키도 크고 몸도 운동선수만큼 좋았었고 얼굴도 연예인들과 비슷한 느낌이었다. 그리고 무엇보다 우리 학교 교복을 입고 있었다.

"거기서 뛰어내리게? 꽤나 높은데... 잠시 얘기 좀 할래?"

나는 홀린 듯 그에게 다가갔다. 그 애가 먼저 입을 열었다.

"난 이도윤이라고 해 넌 이름이 뭐야?"

"난 최형석이야."

"왜 뛰어내리려 한 거야?"

"나는 시골에서 살 때 중학교에서 괴롭힘을 많이 당했어. 도시로 전학 오고 고등학교 가면서 괜찮아질 줄 알았는데 오히려 더 심한 것 같더라고."

나는 무의식적으로 처음 본 도윤이에게 다 털어놓았다.

"넌 나랑 같은 고등학교 같은데 뭐 하러 여기에 올라온 거야?"

"나도 작은 시골에서 어제 이사 왔어. 그런데 시골과 달리 공기가 별로인 것 같아서 빈 빌딩 옥상으로 왔는데 너가 있길래 붙잡은 거지."

시간은 오전 7시가 되었고 학교에 늦지 않으려면 출발해야 하는 시간이 되었다.

"늦을 거 같은데 빨리 가자."

도윤이가 나에게 말했다. 그렇게 나는 빠르게 집에 갔다가 학교에 갈 준비를 하고 도윤이와 같이 가게 되었다. 학교에 가는 길에 도윤이와 이런저런 이야기를 많이 하게 되었다. 도윤이는 태권도 선수를 했을 만큼 대단한 친구이고 공부도 잘하고 못하는 게 없을 정도인 아이였다. 이런저런 이야기를 하다 보니 학교에 도착하였다. 도윤이는 전학을 위해 교무실로 갔고 나는 교실로 들어갔다. 내 생각처럼 그 무리들은 나에게 와서 시비를 걸기 시작했다.

"야. 하도 맞으니까 엄마를 불러오냐?"

"그니까... 경찰 오는 줄 알고 얼마나 겁났는데."

"미안 내가 데려온 게 아니라서."

"그럼 네가 아니면 누가 불렀겠냐 생각이 없어?"

그렇게 또 주먹을 사용하려 하였다. 그때 선생님이 들어왔다.

"첫 너 좀 이따 보자."

선생님은 전학생이라며 소개하였다. 도윤이었다.

"전학생 왔으니 잘 대해주고 잘 알려줘라. 자, 자기소개하면 된다."

"안녕. 나는 시골에서 전학 오게 된 이도윤이라고 해. 잘 부탁해."

모든 걸 다 갖춘 듯한 전학생이 오니 반이 시끄러웠다. 역시 인기가 넘쳐나는 듯하였다.

"자 아무 데나 가서 앉고 수업 준비해라."

그렇게 선생님은 교실을 나갔고 도윤이는 나를 찾더니 내 옆자리에 앉았다.

"나 너랑 같은 반이었네. 잘 부탁해."

도윤이가 말을 걸었다.

"나도 잘 부탁해."

그렇게 짧은 얘기가 오갈 때 아까 시비를 걸던 그 무리가 다시 왔다.

"야. 이젠 같이 다닐 친구 생겨서 신났냐?"

무리가 전학생 얼굴을 보자 겁을 먹은 얼굴로 바뀌었다. 그리고 아이들끼리 쑥덕거리기 시작하였다.

"야. 쟤 이도윤 아니야?"

"맞는 거 같은데? 아 난 쟤 때문에 전학왔었는데."

그런데 도윤이는 그 무리를 알아보지 못한 눈치였다.

"형석아. 쟤들은 누구야?"

도윤이가 물었다.

"아. 사실 내가 옛날에 저 애들한테 괴롭힘을 당했거든."

"그러면 선생님께 말해봤어?"

"그게... 선생님께 말하면 부모님한테도 알려지는데 우리 엄마가 그런 사실을 알게 하고 싶지 않아 지금 사정도 딱히 좋지도 않아서."

도윤이는 잠시 생각에 잠긴 듯했다.

그리고 학교가 마지막 교시의 끝을 알리는 종이 울렸다.

나는 도윤이와 같이 가려 하였지만 도윤이는 보이지 않았다.

그래서 나는 혼자 가기 위해 교문을 나와 걷기 시작했다.

그때 아까 괴롭히던 무리가 나타났다. 나는 또 괴롭히기 위해 나타난 줄 알았지만, 그들은 갑자기 사과하기 시작한다.

"정말 미안해. 사실 그냥 장난으로 시작한 건데, 그 당시에는 너무 재밌어서 너의 심정을 이제 느끼게 되었어. 그동안 정말 미안해."

나는 갑작스러운 행동에 잠시 멈칫했었다.

"갑자기 왜 사과를 하는 거야?"

"사실 아까 도윤이라는 애가 찾아와서 너한테 했던 짓을 당해봤는데, 당하면서 너가 우리한테 이렇게나 당했을 걸 생각하니 꼭 사과하고 싶었어."

난 어떻게 말해 줘야 할지 잠시 생각했다. 그리고 잠시 뒤 말을 꺼냈다.

"너희들이 나를 괴롭히는 동안 나는 정말 힘들었는데 너네가 먼저 괴롭힘을 인정하고 나에게 사과해 줘서 정말 고마워. 다신 다른 친구들도 괴롭히지 않았으면 좋겠어."

"응. 물론이지!"

"그럼 난 먼저 갈게 사과해 줘서 고마워."

그렇게 난 그 자리를 떠났다.

그리고 다음 날 나는 어느 때와 다름 없이 학교에 등교를 하는데 평소였다면 벌써 괴롭힘이 시작됐을 텐데 평범한 생활이니 색다른 느낌이다. 그런데 교실 어디에도 도윤이의 모습은 보이지 않았다.

그런가 보다 하고 책가방을 정리하는데 편지가 있었다. 열어보니 도윤이였다. 편지엔 이런 내용이 적혀 있었다.

"안녕? 나의 친구 형석아. 나도 전학 오고 친구도 없이 생활하게 될 줄 알았어. 사실 나는 너랑 전학 오기 전 같은 학교에서 따돌림을 당하던 아이였어. 하지만 나는 더 이상 괴롭힘당하고 싶지도 않고 괴롭힘당하는 아이들을 돕고 싶어 튼튼이 운동도 하고 체력도 키웠어. 그러다 보니 어느새 아무도 나를 건들지 못하게 됐어. 너와 같은 학교로 온 것은 예전 학교에서 괴롭힘당하던 나에게 먼저 손을 내준 건 너뿐이었기에 난 너가 전학 간다는 학교에 와서 너를 도와준 거야. 나는 학교를 그만두고 운동선수에 집중하려고 해!

그 전에 나를 도와준 너에게 은혜를 갚고 싶었어. 정말 고마웠단 말을 하고 싶었어. 너의 친구 도윤이가."

난 편지를 보고 그제서야 생각났다. 도윤이는 전 학교에서 따돌림당했던 그 애라는 것이. 나도 이번 일로 그에게 정말 고마움을 전하고 싶었지만 도윤이가 운동선수가 되면 꼭 다시 만나서 말하고 싶다. 그리고 도윤이가 나를 도와준 이후로 학교에서도 친구도 많이 생기고 괴롭힘당하는 일도 없어졌다. 도윤이가 아니었다면 난 이 세상을 살고 있지 않았을지도 모르겠다.

살얼음

보는 사람 하나 없이 홀로 켜져 있는 TV 속에서 아나운서의 목소리가 흘러나온다.

"어젯밤 11시 서울 중당구에서 황당한 사건이 일어났습니다. 당시의 상황이 고스란히 폐쇄회로TV에 담겼습니다. … 한 승용차가 계속해서 중심을 잡지 못하고 휘청거리며 시내를 질주합니다. 이를 이상하게 본 시민의 신고로 경찰이 도착하고, 경찰과의 추격전이 벌어집니다. 이 승용차는 얼마 안 가 건널목을 건너던 한 시민을 치고 달아납니다. 끈질긴 추격 후 운전자를 잡고 보니 이 운전자는 만 14세 미만의 촉법소년이었습니다. 동승자 또한 마찬가지입니다.

… 이들은 당시 알코올 농도 0.2% 이상의 만취 상태였으

며 …

법무부는 지난해 10월 촉법소년 연령 상한을 현행 14세 미만에서 13세 미만으로 낮추는 내용의 소년법과 형법 개정안을 입법 예고했습니다. 국민들의 불안감이 커진 만큼 촉법소년 연령 하향 논의가 필요하다고 설명합니다. 그러나 입법 논의는 좀처럼 속도를 내지 못하고 있습니다. … 따라서 이들에게 솜방망이 처벌이 이루어지는 것이 아니냐는 우려 섞인 목소리가……."

"11월 19일에 중당구에서 일어난 촉법소년 음주 뺑소니 사고, 기억하십니까? 그 가해 학생들이 올린 게시물이 또 한 번 공분을 사고 있습니다. … 이것은 가해 학생들이 올린 SNS 내용입니다. 이들은 자신의 죄를 반성하기는커녕 경찰서에서 찍은 사진을 SNS에 게시했으며, 그 내용 중에는 피해자를 기만하는 것도 있었습니다. …

국민은 이에 분노하여 … 이들의 제대로 된 처벌을 원한다는 내용의 글이 국민청원으로 올라온 상황입니다. … 과연 촉법소년들이 법으로 보호되어야 할지 귀추가 주목됩니다."

그 사건이 일어난 후 며칠이 지났다.

하지만 학교는 여전히 떠들썩했다. 왜냐하면 그 사건의 주요 인물인 서진이와 진수가 학교에 있으니까.

나는 서진이, 진수와 가장 친한 친구였다. 그러나 이젠 그럴 수 없을 거 같다. 아니. 그렇게 하지 않을 것이다.

서진이와 진수. 그들은 반성은커녕 학교에서 아이들에게 자랑마냥 이야기하고 있다. 심지어 SNS에 피해자를 기만하는 내용을 썼다. 정말 증오스럽고 역겹다. 그들에게서 인간적인 모습을 조금이라도 찾아볼 수 있을까? 나는 아니라고 단언할 수 있다.

근데 이게 나랑 무슨 상관이 있냐고? 바로 이 음주운전 사건의 피해자가, 바로 나의 아버지이기 때문이다.

처음에는 아버지를 잃었다는 사실에 아무런 생각도 들지 않았다. 그냥 멍했다. 며칠간 아무것도 먹거나 마시지 않았다. 계속해서 무기력하게 살던 어느 날, 어머니가 말씀하셨다.

"너마저 이렇게 무기력하게 살면 엄마는 어떻게 해야 하니?"

정신을 차리라고. 이만 슬픔에서 빠져나오라고. 그렇게 말씀하셨다. 그러고 보니 나는 아버지를 잃었지만, 어머니는 남편을 잃었다. 그런데 자식마저 무기력하게 누워있다. 엄마는 나보다 더 힘들 것이다.

그런 생각이 들자 비로소 정신이 맑아졌다. 그리고 한 가지 생각만이 머릿속에 맴돌기 시작했다. 나와 어머니, 그리고 아버지의 복수를 하고 싶다. 강렬한 열망이 피어오르기 시작했다.

정말이지 그렇게라도 하지 않는다면 미쳐버리거나 죽을 것만 같았다. 처음에는 이들이 어차피 법의 심판을 받을 테니 그걸로 됐다고 생각했다. 하지만 인터넷을 찾아보니 우리나라는 만 14세 미만의 소년은 제대로 된 처벌을 받지 못하고 솜방망이 같은 처벌만 받게 된다는 것을 알게 되고 생각이 바뀌었다. 법이 이들을 제대로 처벌하지 못한다면 내가 직접 처벌, 아니 복수하기로 다짐하였다.

학교에 가보니 서진이와 진수는 아무렇지도 않게 나에게 인사를 건네었다. 정말 당장이라도 그들을 죽이고 싶었지만 나는 그들에게 제대로 된 복수를 하기 위해 마음을 추스르고 마주 인사를 건네었다.

오늘 학교에 있는 동안 정말이지 머리가 터져버릴 것만 같았다.수업 시간 동안 수업에 집중을 하지 않고 그들에게 어떻게 복수할지 하루 종일 생각했기 때문이다. 또 심리적으로도 매우 고통스러웠다. 솔직하게 그 누구도 본인의 가족을 살해한 사람과 같은 공간에서 수업을 듣고 싶어 할 사람이 있을까?

분노와 슬픔을 참아가며 며칠 뒤 나는 마음을 잡고 방에 들어가서 작은 공책과 볼펜을 꺼내었다.

여기에 복수계획을 세울 것이다.

일단 나는 내가 한 일에 대해서 처벌을 받게 되도 깔끔하게 받아들일 것이다.

또 나는 경찰을 이용하지 않을 것이다. 사실 사건이 일어난 후 경찰서를 방문했었다. 그러나 그들은 이미 처리된 사건이니 집에 귀가하라는 둥 사람이 죽었는데도 본인 일이 아니니까 나몰라라하고 방관하였다. 아니 어떻게 대한민국의 정의와 질서를 책임지는 사람들이 이럴 수가 있는가?

이 일이 있고 난 후에 나는 우리나라에 대한 기대감과 신뢰도가 완전히 떨어졌다. 또 이를 토대로 비폭력적인 방법을 사용하면 이들에게 제대로 된 복수를 하지 못하기 때문에 폭력적인 방법을 사용하려고 생각해 보았다. 그러나 도저히 생각이 나지 않아서 잠깐 쉬기 위해 거실에 나와 텔레비전을 켰다. 그런데 뉴스에서 칼부림 사건이 나왔다. 우선 노트에 이 내용을 적었고 본능적으로 곧장 겉옷을 입고 집 근처에 있는 동네 철물점에 가서 주머니에 들어갈만한 칼을 구입하였다. 칼을 사고 나서 집에 도착 회사에 가셨던 어머니가 계셨다.

"어디 갔다 왔니?"

"아…. 잠…잠깐 밖에 바람 쐬러 나갔다 왔어요…."

우물쭈물 말했다. 어머니는 어딘가 불안해 보이는 내 얼굴과 말을 똑바로 하지 못하는 것을 보고, 의미심장한 표정을 지으셨다.

"내게 남은 건 이제 너 하나뿐이야…."

무언가 깊은 의미가 담긴 말인 듯했다. 하지만 나는 그 말이 무슨 의민지 알아차리지 못하였다.

다음 날 아침, 나는 학교에 갔다. 서진이와 진수는 여전했다. 그리고 나는 내 자리에 앉았다.

반대편에 있던 서진과 진수가 대화하고 있다. 나는 그들의 대화에 귀를 기울였다. 진수가 웃음기 섞인 질문을 던지는데, 그 내용이 갑작스러웠다.

"야, 그… 있잖아. 우리가 죽인 사람 말이야…. 설마 그 사람 가족이 뭐 우리한테 복수? 같은 거 한다면 어떨 거 같냐?"

이에 대답하는 서진.

"말이 되는 소리를 해라. 어차피 우리 촉법이라 무서울 것도 없다."

그들의 웃음기 섞인 말에 나는 일순간 당황했다. 그 뒤에는 촉법 소년이라는 타이틀 하나만 믿고 자신만만해하는 그들이 우습고 역겨웠다.

기다려라. 한순간이다.

사실 내가 흉기를 들고 있다고 한들 어떤 방식으로 접근해야 하는지 몰랐다. 막 대놓고 그들에게 연락해서 복수하는 것은 어렵기 때문이다. 그런데 문뜩 좋은 생각이 떠올랐다. 예전에 진수가 연근 마켓에 중고 물품을 팔고 있다는 것을 들었기 때문이다. 연근 마켓을 이용하면 처음부터 그들에게 내 정체가 탄로날 일도 없고 만나는 시간도 정할 수 있기 때문이다. 또 그들은 항상 같이 다니기에 두 명에게 한 번에 복수할 수 있기 때문이다. 우선 연근 마켓을 이용해서 진수에게 물건을 구입할 의향이 있다고 말하였고 토요일 오후 11시에 공원에서 만나기로 하였다. 그러곤 잠에 들었다.

며칠 뒤 드디어 토요일이 찾아왔다. 일단 나는 검은 모자와 마스크를 준비하고 내 복수를 위해서 마지막 점검을 하는 중이었다. 그런데 갑자기 엄마가 내 방에 들어왔다.

"어디 놀러 가니? 처음 보는 옷을 입고가네?"

"아, 네. 친구들이랑 만나기로 했어요."

오후 10시 40분 드디어 그토록 바라던 복수를 할 시간이 찾아왔다. 나는 아버지의 복수를 할 수 있다는 생각 매우 기뻤고 기쁜 마음에 떨리거나 무서운 감정은 들지 않았다. 집에서 나가기 전에 어머니께 나간다고 말하려고 했지만 왜인지 집에는 아무도 없었다.

공원 근처에 도착하니 역시나 서진이와 진수가 함께 나왔다. 나는 그들을 보자마자 조용히 그들의 뒤로 돌아간 후 뒤에서 그들을 밀쳐 넘어뜨리고 칼을 꺼내었다. 그들은 놀란 듯 아무 말도 하지 않았다. 그리고 칼로 그들을 찌르려는 그 순간 옆에서 익숙한 목소리로 "안돼. 멈춰."라는 말이 들려왔다. 틀림없이 어머니였다. 나는 놀라 그 자리에서 쓰러지고 그들은 도망갔다.

그리고 어머니가 내게 다가와서 울먹이며 말했다.

"내가 저번에 말했잖니…. 이제 내게 남은 건 너뿐이라고. 너라도 네 인생 잘 살아야 할 거 아니야…."

그렇게 나는 아무 말도 하지 못한 채 어머니와 집에 돌아왔다. 집에 들어와서도 한참 동안 침묵이 이어지다가 어머니가 말을 꺼내었다.

"사실 나, 네 책상에 있던 공책이랑 휴대폰을 우연히 보게 되었어. 그런데 그런 내용이 적혀 있더라고."

나는 아무 말도 하지 못한 채 울고 있었다.

"아버지를 잃게 되어 많이 슬퍼서 그런 생각이 날 수는 있지…. 근데 그렇다고 해서 가해자들과 같은 사람이 되어서는 안 돼."

그렇게 내 복수계획은 끝이 났다.